P9-CMD-918

ANIMAUX DE L'ARCTIQUE

Chelsea Donaldson
Texte français de Marie-Josée Brière

Éditions Scholastic

L'éditeur a fait tout en son pouvoir pour trouver le détenteur du copyright de toute photographie utilisée dans le texte et serait heureux qu'on lui signale toute erreur ou toute omission.

Crédits pour les illustrations et les photos
Couverture, p. i (bordure), p. ii (bordure) : © Steve Bloom Images/Alamy; p. i, p. 14, p. 18 : W. Lynch/Ivy Images; p. iv (carte) : Hothouse Canada; pp. iv-1 (scène de l'Arctique) : NOAA, Dept. of Commerce/Rear Admiral Harley D. Nygren (ret.); p. 2, p. 5 : F. Bruemmer/Ivy Images; p. 3 : © Doug Allan/www.naturepl.com; p. 4, p. 22, p. 44 (caribou et ours polaires) : Alaska Division of Tourism par l'intermédiaire de SODA; p. 6 : Rinie Van Muers/Foto Natura/Minden Pictures; p. 8 : Daniel J. Cox/www.naturalexposures.com; p. 9 : W. Lankinen/Ivy Images; p. 10 : Daniel A. Bedell/Maxximages.com; p. 11, p. 20 : Bill Lowry/Ivy Images; p. 12, p. 41, p. 43 : Flip Nicklin/Minden Pictures; p. 13, p. 24, pp. 24-25 : Michio Hoshino/Minden Pictures; p. 15 : © Johnny Johnson/DRK Photo; p. 16 : Thomas Kitchin et Victoria Hurst/firstlight.ca; p. 17 : Johnny Johnson/Maxximages.com; p. 19 : Jim Brandenburg/Minden Pictures : p. 21; Parcs Canada/ W. Lynch/13.02.10.01(136); p. 23, p. 27, pp. 28-29 : D. Taylor/Ivy Images; p. 26 : W. Towriss/ Ivy Images; p. 30 : © Robert B. Mumford Jr./Natural Images Photography; p. 31 : Office of NOAA Corps Operations; pp. 32-33 : Len Lee Rue III/Ivy Images; pp. 34-35 : Brian Milne/Maxximages.com; pp. 36-37, pp. 38-39, p. 40 : Chris Harvey-Clark, Université de Colombie-Britannique; p. 44 (sterne arctique) : Bill Freedman, Université Dalhousie.

Produit par Focus Strategic Communications Inc.
Gestion et édition du projet : Adrianna Edwards
Conception graphique et mise en pages : Lisa Platt
Recherche pour les photos : Elizabeth Kelly
Conseiller : Hugh Gabriel Shaftoe

Un merci tout particulier à Chris Harvey-Clark de l'université de Colombie-Britannique et à Bill Freedman de l'université Dalhousie pour leur expertise.

Catalogage avant publication de Bibliothèque et Archives Canada
Donaldson, Chelsea, 1959-
Animaux de l'Arctique / Chelsea Donaldson; texte français de Marie-Josée Brière.
(Le Canada vu de près)
Traduction de : Canada's Arctic Animals.
Pour enfants.
ISBN 0-439-95674-9
1. Animaux—Canada (Nord)—Ouvrages pour la jeunesse.
2. Animaux—Arctique—Ouvrages pour la jeunesse. I. Titre. II. Collection : Canada vu de près
QL105.D6514 2005 j591.75'86'09719 C2005-902834-3

Copyright © Scholastic Canada Ltd., 2005.
Copyright © Éditions Scholastic, 2005, pour le texte français.
Tous droits réservés.
Il est interdit de reproduire, d'enregistrer ou de diffuser, en tout ou en partie, le présent ouvrage par quelque procédé que ce soit, électronique, mécanique, photographique, sonore, magnétique ou autre, sans avoir obtenu au préalable l'autorisation écrite de l'éditeur. Pour la photocopie ou autre moyen de reprographie, on doit obtenir un permis auprès de Access Copyright, Canadian Copyright Licensing Agency, 1 Yonge Street, bureau 1900, Toronto (Ontario) M5E 1E5 (téléphone : 1 800 893-5777).

Édition publiée par les Éditions Scholastic, 175 Hillmount Road, Markham (Ontario) L6C 1Z7.

6 5 4 3 2 1 Imprimé au Canada 05 06 07 08

TABLE DES MATIÈRES

L'Arctique canadien

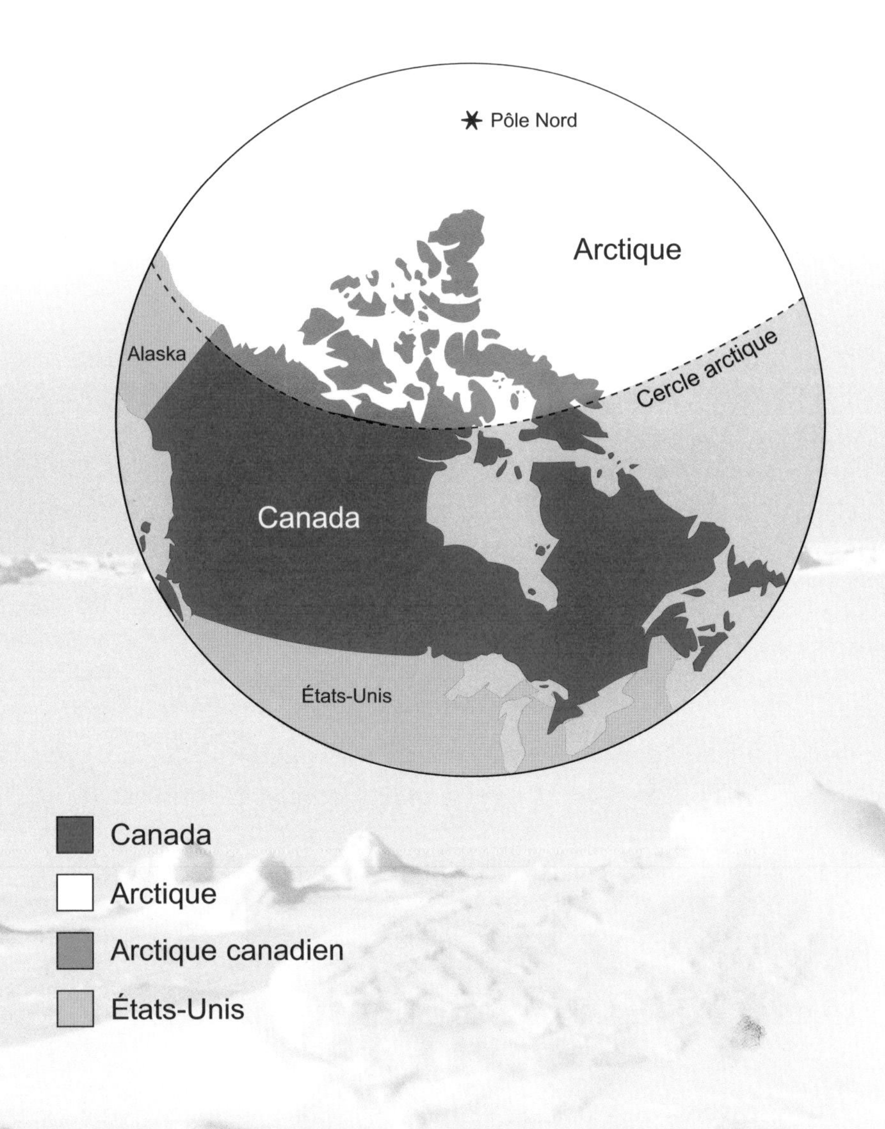

Bienvenue dans l'Arctique!

L'Arctique est le territoire qui entoure le pôle Nord. C'est l'endroit le plus froid au Canada. En fait, c'est l'un des endroits les plus froids sur Terre.

L'été, de petites plantes poussent pendant quelques semaines dans certaines de ses régions. C'est ce qu'on appelle la toundra arctique. D'autres régions sont recouvertes de glace en permanence. Ce sont les glaciers.

La survie n'est pas facile pour les animaux de l'Arctique. Ils doivent savoir comment trouver de la nourriture et se garder au chaud.

Voici quelques-unes de ces créatures astucieuses.

CHAPITRE 1

Le phoque

Savais-tu que les chiens ne sont pas les seuls animaux qui aboient? Les phoques le font aussi. On dirait des chiens qui auraient mal à la gorge! Mais, même si les chiens et les phoques émettent des sons qui se ressemblent, ils n'ont pas grand-chose d'autre en commun.

Les phoques font partie de la famille des pinnipèdes, ce qui signifie qu'ils ont des nageoires à la place des pieds. Ils se servent de leurs nageoires pour marcher et pour nager.

Le phoque annelé est le type de phoque le plus courant dans l'Arctique canadien. Il tire son nom des anneaux qui ornent sa fourrure.

Les phoques annelés passent beaucoup de temps sous la glace, à nager dans l'eau froide de l'Arctique. Mais, comme tous les phoques, ils doivent remonter à la surface pour respirer.

Ils doivent donc percer des trous de respiration. Ils sont très habiles pour creuser dans la glace avec leurs griffes.

Les phoques annelés naissent généralement à la fin de l'hiver. Leur mère creuse un gîte dans un tas de neige. De l'extérieur, personne ne peut savoir que les bébés phoques sont là.

La mère aménage ce gîte secret au-dessus d'un trou de respiration percé dans la glace. Ainsi, la mère et ses petits pourront se sauver rapidement si un ours polaire affamé vient faire son tour!

Le phoque à capuchon est un autre type de phoque arctique. Le mâle connaît un truc bien spécial. Il peut gonfler un sac sur le dessus de son nez. On dirait un ballon noir! Il peut aussi faire sortir un ballon rouge d'une de ses narines.

On ne sait pas exactement à quoi servent ces deux ballons – peut-être à avertir les autres phoques ou même à attirer une femelle pendant la saison des amours.

CHAPITRE 2

L'ours polaire

Un ours polaire est assis à côté d'un trou percé dans la glace, parfaitement immobile. On dirait un bloc de glace.

Un gros phoque sort sa tête de l'eau. Vite, l'ours l'attrape par la tête avec ses dents acérées et ses griffes puissantes, et il le tire hors de l'eau.

Le phoque se débat pour se libérer. Puis il cesse de bouger.

L'ours transporte le phoque mort jusqu'à sa tanière. Comme c'est une mère ourse, elle le partage avec ses deux oursons affamés. La graisse du phoque va les soutenir tous pendant quelques jours.

Le phoque est l'aliment préféré de l'ours polaire. Mais celui-ci se nourrit aussi d'autres animaux, comme le morse, les oiseaux de mer, le caribou et le poisson. Il lui arrive même de tuer et de manger des bélugas.

Quand il a du mal à trouver de la nourriture, l'ours mange des œufs et des petits fruits. Et s'il a vraiment faim, il va aussi manger des déchets.

L'ours polaire est énorme! Debout sur ses pattes arrière, il dépasserait même la personne la plus grande que tu connais. À l'âge adulte, le mâle peut peser jusqu'à 780 kilos, à peu près autant que dix hommes!

L'ours polaire porte un manteau à deux épaisseurs. Celle du dessous, près de la peau, est faite d'une dense fourrure imperméable. Elle est recouverte d'une couche plus mince de poils raides et soyeux. Ces poils sont en fait transparents. Ils paraissent blancs ou jaunes uniquement quand la lumière les frappe selon un certain angle.

L'ours polaire a aussi, sous la peau, une bonne couche de graisse qui le protège du froid. Cette superposition de fourrure et de gras est tellement efficace qu'il a souvent trop chaud!

Alors, que fait l'ours polaire quand il a chaud? La même chose que nous : il va se baigner.

C'est un excellent nageur. Il est capable de parcourir 100 kilomètres en pagayant avec ses pattes avant. Il peut plonger pour attraper des phoques ou contourner des glaces flottantes. Il peut passer jusqu'à deux minutes sous l'eau.

Et toi, combien de temps peux-tu retenir ton souffle?

CHAPITRE 3

Le renard arctique

Les ours polaires chassent habituellement seuls. Mais ils ont souvent de la compagnie : des renards arctiques, qui les suivent pour profiter de la viande que laissent les ours.

Les renards doivent être prudents. Ils ne veulent pas servir à leur tour de repas à un ours!

Le renard arctique et l'ours polaire ont une autre caractéristique en commun. Ils sont tous les deux difficiles à distinguer sur la neige blanche.

L'hiver, la fourrure blanche du renard l'aide à s'approcher de ses proies sans qu'elles l'aperçoivent. L'été, elle tourne au brun ou au gris. Le renard se fond ainsi dans la toundra. Certains renards arctiques ont même une fourrure qui paraît bleue!

Les renards arctiques habitent dans des terriers, qu'ils peuvent aménager sur le flanc d'une colline, le long d'une rivière ou dans une pile de grosses pierres.

Les renards vivent en groupes familiaux. Il arrive que deux familles ou plus se regroupent. L'hiver, les renards creusent des tunnels sous la neige pour relier leurs terriers.

Le mâle et la femelle restent généralement ensemble après l'accouplement. Ils s'occupent tous les deux des petits.

On appelle ces petits des renardeaux. Il y en a habituellement de six à huit par portée, mais parfois plus. On a déjà vu une renarde avoir une portée de 25 renardeaux!

Les jeunes renards ont très bon appétit. Il faut parfois travailler fort pour les nourrir. Quand les renards ne suivent pas les ours pour trouver à manger, ils chassent de petites proies comme les lemmings.

Les lemmings sont des animaux à fourrure qui ressemblent un peu à des souris. Les renardeaux adolescents peuvent en dévorer une douzaine par jour!

CHAPITRE 4

Le lièvre arctique

Le lièvre arctique est un autre animal dont les renards aiment se nourrir.

Il est difficile à apercevoir. Comme le renard et beaucoup d'autres animaux, il change de couleur selon les saisons.

Le lièvre arctique est habituellement blanc. Mais, pendant l'été, sa fourrure devient brune ou gris bleu, comme la toundra. Seule sa queue reste blanche toute l'année. Ce changement de couleur aide le lièvre à se cacher de ses ennemis.

Les lièvres se camouflent aussi en restant parfaitement immobiles. Les bébés lièvres s'appellent des levreaux. Ils sont capables de rester sans bouger dès l'âge de trois jours. Ils ressemblent ainsi à de petites pierres brunes.

Il arrive qu'un renard ou un autre prédateur voie le lièvre. Celui-ci doit alors se sauver, et vite! Les lièvres peuvent courir à quatre pattes ou sauter sur leurs pattes arrière comme un kangourou.

Le lièvre arctique peut courir à plus de 60 kilomètres à l'heure. C'est aussi vite qu'une voiture en ville!

Quand il est poursuivi, il zigzague dans la toundra. Ses ennemis ont alors plus de difficulté à l'attraper.

Les lièvres arctiques ont de fortes griffes qui les aident à creuser pour trouver à manger. Ils se nourrissent d'écorce, de brindilles, de petits fruits, de feuilles, de racines et de mousses. Ils peuvent même manger des algues.

Leur odorat très développé les aide à repérer leur nourriture sous la neige. S'il y a une croûte dure, ils la grignotent avec leurs dents ou tapent dessus avec leurs pattes pour la briser.

CHAPITRE 5

Le caribou

As-tu déjà regardé le revers d'une pièce de 25 cents? L'animal que tu y vois est un caribou.

Bien que les caribous soient très gros, ils sont très rapides. Ils peuvent parfois courir aussi vite qu'une automobile. Même un bébé caribou d'à peine une journée pourrait te dépasser à la course!

Les caribous sont faciles à reconnaître parce que le mâle et la femelle ont tous les deux des bois. Ceux du mâle sont toutefois beaucoup plus gros. Chaque année, tous les caribous perdent leurs bois et, chaque année, ces bois repoussent.

Les mâles se servent de leurs bois pour se battre contre les autres mâles. Ils entremêlent leurs panaches et luttent pour voir qui va l'emporter. Le gagnant peut choisir la femelle avec laquelle il va s'accoupler.

Les bébés caribous naissent en juin. On les appelle des faons. Ils grandissent rapidement pendant l'été, mangeant autant qu'ils peuvent pour être forts et en santé à l'arrivée de l'automne.

Les caribous doivent se déplacer sans cesse pour se nourrir. Ils mangent les petites plantes et les herbes qui poussent dans la toundra. Quand la température se refroidit, ils descendent vers le sud.

Les grands troupeaux de caribous font le même trajet chaque année. Mais leurs membres ne survivent pas tous au voyage.

Les loups connaissent aussi le trajet des caribous. Ils attaquent les troupeaux, et tuent les animaux les plus faibles et les plus lents.

Les loups tuent des caribous pour se nourrir. Mais, en même temps, ils aident les autres caribous à survivre. Si aucun de ses membres ne mourait, le troupeau n'aurait peut-être pas assez de nourriture pour passer l'hiver.

CHAPITRE 6

La sterne arctique

La sterne arctique descend elle aussi vers le sud pour l'hiver. Chaque automne, les sternes partent pour l'Antarctique, près du pôle Sud. Quand c'est l'hiver dans l'Arctique, c'est l'été dans l'Antarctique. En volant ainsi vers le sud, ces oiseaux sont en été toute l'année.

Les sternes arctiques parcourent des milliers de kilomètres pour atteindre l'Antarctique. Elles ont sans doute la migration la plus longue de tous les animaux du monde!

Les sternes arctiques vivent en colonies. Ces colonies comptent parfois quelques oiseaux seulement, et parfois des milliers.

Le niveau de bruit y est assez impressionnant! Les sternes ne se contentent pas de gazouiller ou de chanter; elles crient : PI-PI-PI-PI-PI... KI-YAH! KI-YAH!

Quand un prédateur menace un des membres de la colonie, c'est tout le groupe qui passe à l'attaque. Les oiseaux foncent vers la tête de l'intrus pour lui faire peur et l'éloigner.

À l'automne, quand il commence à faire froid, la colonie d'oiseaux criards se fait tout à coup très silencieuse. Et puis, tous ensemble, les oiseaux s'élèvent dans le ciel.

Quel spectacle extraordinaire! Les sternes arctiques viennent d'entreprendre leur long voyage vers le sud.

CHAPITRE 7

Le morse

Les morses sont des créatures étranges. Ils ont une petite tête et des moustaches hérissées. Ils ont aussi de minuscules nageoires qui leur servent de pieds et de mains. Et leur corps est couvert d'une épaisse couche de graisse.

Les morses sont lourds
et malhabiles hors de l'eau.
À cause de leur forme bizarre,
ils ont de la difficulté à se déplacer
sur la glace. Mais sur de courtes
distances, ils peuvent aller plus vite
que les humains.

Dans l'eau, cependant, les morses ne sont
pas du tout malhabiles. Ils sont même très
gracieux. Leur petite tête les aide à avancer
en douceur. Leurs moustaches les aident à
trouver de la nourriture. Leurs nageoires
les aident à nager vite. Et leur graisse les
aide à rester au chaud.

Les morses peuvent même dormir dans l'eau!
À cause de leur forme, ils flottent la tête en
haut quand ils sont au repos.

Et quelle est l'autre caractéristique particulière des morses? Leurs longues dents d'en haut, bien sûr! Ce sont des défenses, qui peuvent atteindre un mètre de long. Imagine un peu si tes dents à toi étaient aussi longues!

Les morses utilisent leurs défenses pour se hisser sur la glace et pour creuser au fond de l'eau afin de trouver de la nourriture. Les mâles s'en servent aussi pour se battre à l'occasion, mais surtout pour impressionner les autres! Celui qui a les plus longues défenses est généralement le mâle dominant du groupe.

Savais-tu que les morses peuvent changer de couleur? Quand l'eau est très froide, ils sont presque blancs. Et à la belle saison, ils peuvent devenir roses ou même rouges à cause des algues qui poussent sur leur peau. La plupart du temps, cependant, ils sont bruns.

Quand un morse a faim, il plonge jusqu'au fond de l'océan. Il se sert de son nez et de ses moustaches pour trouver sa nourriture, des myes et des escargots qu'il déterre dans le sable. Il a la lèvre supérieure fendue, ce qui l'aide à sortir les myes de leur coquille. Un morse peut manger à lui seul jusqu'à 6000 myes dans un même repas.

Les morses ont aussi un truc très habile pour trouver à manger. Ils prennent une grosse gorgée d'eau et la recrachent dans le sable. Le jet d'eau expose des animaux cachés au fond de l'océan. À table!

CHAPITRE 8

Le requin du Groenland

Dans l'obscurité,

loin,

loin,

loin

sous la surface de l'océan Arctique, un géant attend. Il bouge à peine. Il a de multiples rangées de dents courtes et acérées, et des yeux luisants, d'un blanc laiteux.

Un poisson nage vers le géant. WOUCHE!
En une seconde, il est aspiré dans sa gueule.
MIAM!

Les yeux du requin du Groenland ne brillent pas vraiment. Ils sont luisants parce qu'ils reflètent la lumière. Leur étrange couleur vient des cicatrices laissées par un petit animal, le copépode, qui se fixe sur les yeux du requin et le rend aveugle.

Mais le requin n'est pas vraiment embêté même s'il ne voit rien. Il se sert de ses autres sens – l'odorat, l'ouïe et le toucher – pour chasser.
Et le copépode qui pend de son œil pourrait même l'aider à attirer des poissons.

On appelle aussi ce requin le
dormeur du Groenland, parce
qu'il passe beaucoup
de temps immobile.

Les scientifiques pensent qu'il n'a pas besoin
de chasser pour manger. Il attend que son
repas vienne à lui. Quand des poissons
s'approchent, le requin du Groenland inspire,
la gueule ouverte, comme un aspirateur.
Il avale de l'eau et, en même temps, tous
les poissons des alentours.

Le requin du Groenland mange aussi des phoques, des bélugas et parfois d'autres requins. On a même déjà trouvé des caribous entiers dans l'estomac de certains d'entre eux! Mais personne ne sait s'ils chassent ces grosses proies ou s'ils mangent seulement des animaux déjà morts.

Le requin du Groenland est énorme, mais il grossit très lentement. À l'âge adulte, sa croissance est d'environ un centimètre par année. Donc, un gros adulte pourrait bien avoir des centaines d'années!

Ces requins sont tellement gros qu'ils n'ont pas beaucoup d'ennemis. Même les humains n'en mangent pas souvent parce que leur chair est toxique. Il faut donc la faire bouillir ou la faire sécher avant de la consommer.

CHAPITRE 9

Le narval

As-tu déjà vu une licorne? Bien sûr que non! Les licornes n'existent que dans les contes de fées.

Mais il existe un animal à une corne, exactement comme les licornes. On l'appelle le narval. C'est une sorte de baleine qui vit dans l'Arctique.

Les narvals ont très peu de dents. Quand le mâle a environ deux ans, sa dent supérieure gauche commence à pousser en spirale.
On dirait tout à fait une corne de licorne.

Il arrive que deux des dents d'un mâle se transforment ainsi en défenses. Et certaines femelles en ont une aussi. Mais personne ne sait à quoi servent ces défenses.

Certaines personnes pensent que les narvals s'en servent pour se battre. Les mâles ont souvent des cicatrices qui pourraient avoir été causées par des combats. D'autres pensent que c'est plutôt un moyen d'attirer les femelles, ou tout simplement de faire les importants.

Les narvals sont presque aussi difficiles à trouver que les licornes, parce qu'ils sont très timides. Nous ne savons donc pas grand-chose sur eux.

Mais nous savons au moins qu'ils sont bavards! Ils font toutes sortes de bruits différents : des SIFFLEMENTS, des CLAQUEMENTS et des GLOUSSEMENTS. Qu'est-ce qu'ils disent, à ton avis?

Les créatures arctiques que nous t'avons présentées ont toutes quelque chose d'exceptionnel. Et toutes ont trouvé leurs propres moyens de survivre.

Ils sont vraiment résistants, ces animaux de l'Arctique!